Legenda o Złotej Kaczce

Katarzyna Małkowska

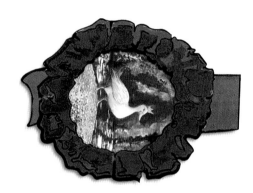

The Legend of the Golden Duck
Die Legende von Goldene Ente

Ilustracje: Wojciech Kuźmiński

Tłumaczenie: Wojciech Graniczewski i Ramon Shindler, Tadeusz Zatorski

Astra

Przed wieloma wiekami, w mieście Warszawą zwanym żył sobie dziarski młodzieniec o imieniu Kuba. Pierwszy był zawsze tam, gdzie działo się coś niezwykłego. To na królewskim polowaniu jelenia świetnego ubił, to na zabawie miejskiej z córką bogatego kupca tańcował, to znów w szranki z rycerzami stawał. Przyjaciele często do gospody go zapraszali, by opowieściami o wyczynach swoich czas im umilał. Wiele wieczorów spędzał Kuba nad dzbanem miodu, o dziwach świata prawiąc. Ale wiedzieć wam trzeba, że choć wielce lubiany wśród warszawskiej gawiedzi, oprócz poczucia humoru miał młodzieniec niewiele, biedny był bowiem jak mysz kościelna.

A long, long time ago in a town called Warsaw there lived a dashing young man by the name of Jacob. He was always the first one there when something unusual was going on. If he wasn't killing a magnificent deer on the royal hunt, he was dancing at the town party with the daughter of a rich merchant or even riding with knights. Friends often invited him to taverns so that he could entertain them with tales of his daring deeds. Many an evening did he spend with a jug of mead in hand, holding forth about how strange the world was. One thing you should know however is that, although Jacob was greatly liked by the Warsaw tavern-goers, a sense of humour was this young man's only possession, for he was as poor as a church-mouse.

Vor vielen Jahrhunderten lebte in der Stadt Warschau ein braver Jüngling namens Jakob. Wo immer etwas Außerordentliches geschah, dort war er stets als erster zur Stelle. Bald hatte er bei einer königlichen Jagd einen trefflichen Hirsch erlegt, bald bei einem Tanzabend mit der Tochter eines reichen Kaufmanns getanzt, bald war er gegen Ritter in die Schranken getreten. Freunde luden ihn oft in Gastwirtschaften ein, damit er sie mit Erzählungen über seine Taten unterhielt. Viele Abende verbrachte Jakob über einem Krug Met, von allerlei Wundern der Welt erzählend. Ihr solltet aber wissen, dass er, obwohl bei den Warschauer Bürgern sehr beliebt, außer Sinn für Humor sehr wenig besaß, denn er war arm wie eine Kirchenmaus.

3

Którejś nocy, gdy jak zwykle przy karczmianym stole przesiadywał, posłyszał niezwykłą opowieść snutą przez sędziwego starca. Ponoć pod jednym z warszawskich pałaców labirynt stoi. Na jego końcu znajduje się jaskinia, wypełniona wodą zaczarowanego jeziora, po tafli którego pływa Złota Kaczka. Ptak ten przedziwny dostępu do skarbów strzeże i temu tylko uszczknąć z nich pozwoli, kto życzenie jego spełni. Słysząc ową historię, westchnął Kuba: „Ach, jakże cudownie byłoby choć trochę złotych dukatów zdobyć, a i przygodę niezwykłą przeżyć." Chwilę dumał i wnet decyzję podjął: „Do stracenia nic nie mam, pójdę i Złotą Kaczkę odnajdę." Wnet też w drogę wyruszył.

One night in a tavern, while regaling everyone with stories, he heard an old, old man spin a tale. Apparently, beneath one of the palaces of Warsaw there was a labyrinth, at the end of which was a cave, full of water from an enchanted lake on whose surface swam a Golden Duck. This mysterious bird guarded the entrance to a treasure-trove, but before you could help yourself you had to fulfil the duck's wishes. Hearing this story, Jacob sighed to himself: "Oh, wouldn't it be wonderful to lay my hands on a few golden ducats and have an extraordinary adventure at the same time." The young man pondered for a moment and then made his decision: "I have nothing to lose – he said – and so I shall go and find this Golden Duck." And with that he was on his way.

Eines Nachts hörte er am Wirtschaftstisch einen Greis recht seltsame Dinge erzählen. Der Alte behauptete nämlich, unter einem der Warschauer Schlösser befinde sich ein Labyrinth. Es ende in einer Höhle, die ein unterirdischer See fülle. Auf dessen Oberfläche schwimme eine Goldene Ente herum, die über einen unglaublichen Schatz wache. An diesem könnten aber nur solche einen Anteil erhalten, die bereit seien, ihre Befehle zu befolgen. „Ach, wie schön wäre es, ein paar goldene Dukaten zu bekommen und dabei noch ein ungewöhnliches Abenteuer zu erleben" – seufzte Jakob. Er dachte einen Augenblick nach, war aber schnell entschlossen: „Zu verlieren habe ich nichts, ich gehe hin und finde die Goldene Ente." Und er machte sich sofort auf den Weg.

Prędko pałac na wzgórzu odnalazł, bowiem starzec opisał go bardzo dokładnie. Będąc już na dziedzińcu, zorientował się Kuba, że domostwo nie jest zamieszkałe. W żadnym z okien nie dostrzegł nawet nikłego płomienia świecy. Wnet też odnalazł szczelinę do podziemi prowadzącą. Krok za krokiem zagłębiać się zaczął w ciemną otchłań zamkowych piwnic. „Zaczarowane jeziorko musi być już blisko" – pomyślał i zanucił półgłosem: „Ptaszku złotopióry, ptaszku tajemniczy, powiedz mi, co kryjesz w podziemnej piwnicy. Czy drogie kamienie, czy dukaty złote? Powiedz mi to, proszę, wiedzieć mam ochotę."

He soon found the palace in the valley as the old man in the tavern had described it perfectly. Once in the courtyard, Jacob soon realised that the dwelling was uninhabited. He looked in all the windows but could not see even the faintest flickering of candlelight. Then he came across an opening which led to an underground fortress. Step by step he made his way into the depths of the castle's dark cellars. "The enchanted lake cannot be far" – he hummed to himself. "Bird with the golden feathers! Bird with the mysterious sound! Tell me what is hidden in this cavern underground. Some precious stones perhaps? Some ducats made of gold? The answers to these questions, I think I should be told."

Das Schloss auf dem Hügel fand er schnell, denn der Greis hatte es sehr genau beschrieben. Als er schon auf dem Innenhof war, merkte er dass der Bau offensichtlich seit langem unbewohnt stand – in keinem der Fenster war auch nur ein schwaches Kerzenlicht zu sehen. Bald kam er an einer schmalen Mauerspalte an, die zu den Kellerräumen führte. Nun stieg er Schritt vor Schritt in den finsteren Schlund hinab. „Der Zaubersee muss nahe sein" – dachte der Wagehals und sang dabei halblaut vor sich hin: „Oh, Zaubervogel mit Federn aus Gold, so rätselhaft und schön und hold! Ob du Diamanten hier birgst oder Dukaten, das möchte ich so gern erraten."

Wtem oczom jego ukazała się jaskinia lśniąca złotym blaskiem. Wnętrze jej wypełnione było krystaliczną wodą, na której unosiła się Złota Kaczka. Pióra jej z najświetniejszego kruszcu, jakby ręką weneckich złotników wyrzeźbione, głowę zaś zdobiła drogocenna korona. „Podejdź, śmiałku – przemówiła kaczka ludzkim głosem. – To, po coś przyszedł, odnalazłeś. Wszystkie znajdujące się tutaj kosztowności należeć będą do ciebie, ale przejść musisz próbę – rzekła kaczka. – Masz oto sto dukatów. Przez dzień cały wydać je musisz, co do jednego, ale na własne potrzeby i nawet cząstką z bliźnimi podzielić się nie możesz."

Then the cave, gleaming with gold, appeared before his eyes. Its interior was filled with crystal-clear water on which the Golden Duck was gracefully gliding. Its plumage was of the finest ore, as if sculpted by Venetian goldsmiths and a precious crown adorned its head. "Come here, intrepid one – the duck proclaimed in a human voice. – You have found what you were looking for. All you see is yours to keep, but first a test you have to pass – said the duck. – These hundred ducats you shall take and in a day shall spend them all, but on yourself and no one else, not even those you hold most dear."

Plötzlich öffnete sich vor ihm eine goldglänzende Höhle. Ihr Inneres war mit kristallenem Wasser gefüllt, auf dem die Goldene Ente schwamm. Ihre Federn waren aus edelstem Gold, dabei so kunstvoll gearbeitet, als hätten sie die besten Venediger Goldschmiede gegossen. Auf dem Kopf trug sie eine kostbare Krone. „Komm näher, braver Junge – redete ihn die Ente mit menschlicher Stimme an. – Du hast gefunden, was du gesucht. Das alles wird dir gehören, aber du musst noch eine Probe bestehen – sagte die Ente. – Hier hast du hundert Dukaten. Du musst sie alle, bis auf den letzten, an einem Tag ausgeben, aber nur für deine eigenen Bedürfnisse. Keinen einzigen darfst du mit einem anderen Menschen teilen."

Opuścił Kuba podziemia zamku, dzierżąc w dłoni sakiewkę ze stoma dukatami. „Też mi zadanie" – prychnął i dziarskim krokiem ruszył przed siebie. Udał się do najznakomitszego krawca, gdzie koszulę nową, spodnie okazałe, płaszcz i szelmowski kapelusz z piórkiem sobie sprawił. Powędrował i do szewca, który piękne buty z ostrogami dla niego wyszykował. Następnie do najznamienitszej karczmy w Warszawie się udał, by tam posiłek spożyć i trunkiem najprzedniejszym się raczyć. Radował się wielce Kuba zdobytym majątkiem, o swej tajemnicy nie rzekłszy nikomu ni słowa.

Jacob departed the underground fortress, bearing in his hand a pouch containing a hundred ducats. "Work to do" – he snorted, and off he went with a spring in his step. He made his way to the most renowned tailor where he treated himself to a new shirt, a magnificent pair of trousers, a coat and a roguish hat with a feather. He then headed for the shoemaker, who fashioned him a beautiful pair of boots with spurs. Next he took himself to the finest tavern in all of Warsaw, to eat and drink his fill. Jacob was overjoyed at having acquired such a great fortune and he did not breathe a word to anyone.

Den Geldbeutel mit hundert Dukaten fest in der Hand haltend, verließ Jakob die Schlosskeller. „Was ist denn das für eine Probe?" – prustete er höhnisch vor sich hin und ging raschen Schrittes weiter. Er begab sich zuerst zu dem teuersten Schneider in der Stadt, wo er sich ein neues Hemd, eine schöne Hose, einen prächtigen Mantel und einen etwas schelmenhaften Federhut kaufte. Dann ging er zu einem Schuhmacher, der ihm kostspielige Stiefel mit Sporen fertigte. Später speiste er und trank ausgiebig in der besten Gastwirtschaft Warschaus. Jakob freute sich über das erhaltene Geld, doch keinem offenbarte er sein Geheimnis.

Zadziwiał więc młodzieniec miasto, coraz to nowe rzeczy sobie sprawiając. Nawet konia z karocą nabył i sygnet złoty wyszykować sobie kazał. Wieczorem do teatru się udał i wiele ze swych dukatów wydając, miejsce obok samego króla zajął, by w tak świetnym towarzystwie spektakl oglądać. W swoim bogatym odzieniu wyglądał Kuba jak dziedzic znakomity. „Jak już skarb Złotej Kaczki zdobędę – pomyślał – samą królewnę o rękę poproszę, pałac wybuduję i będę żył szczęśliwie w dostatku." Marzenia te tak pochłonęły chłopca, że zasnął z błogim uśmiechem na twarzy…

This young man continued to astound everyone by acquiring more and more new things, including a horse and carriage and a gold signet ring. In the evening he went to the theatre. He spent a small fortune in order to occupy the seat next to the king himself and watch the play in magnificent company. In his rich attire Jacob looked like an eminent squire. "As soon as I get hold of the Golden Duck's treasure – Jacob mused – I shall ask for the princess's hand in marriage and then build a palace where I will live healthily and wealthily ever after." Overcome by his dreams, the lad fell asleep with a sweet smile on his face…

So setzte der Jüngling die Stadt immer wieder in Verwunderung, indem er sich allerlei neue Sachen anschaffte. Nicht einmal an edlen Pferden, einer bequemen Kutsche und einem goldenen Ring hatt er gespart. Am Abend ließ er sich ins Theater fahren und – was ihn auch viele seiner Dukaten kostete – nahm dort in der Nähe des Königs selbst Platz. In seinen reichen Gewändern nahm sich der arme Jakob wie ein wohlhabender Gutsbesitzer aus. „Wenn ich die Schätze der Goldenen Ente erobert habe – dachte Jakob – dann halte ich um die Hand der Prinzessin an, lasse ein Schloss bauen und lebe bis ans Ende meiner Tage glücklich und wohlhabend." Diese Träume hatten ihn so in Anspruch genommen, dass er mit einem seligen Lächeln auf dem Gesicht einschlummerte…

Kiedy ocknął się ze snu, spektakl już dawno końca dobiegł. Zajrzał Kuba do sakiewki, by dukaty policzyć. Okazało się, że pozostał już tylko jeden złoty pieniążek. „Kupię dzban przedniego wina, kołacz pszeniczny i bez grosza do Złotej Kaczki wracać mogę, by nagrodę swoją odebrać" – pomyślał Kuba i dziarsko ruszył przed siebie. Wtem spostrzegł na swej drodze żebraka. Był to nędznie odziany, głodem przymierający weteran wojenny. Jego dłonie wyciągnęły się w błagalnym geście, a zmęczony głos rzekł: „Wspomóż, panie, nędzarza i choć kromką chleba uracz, bom od tygodnia nic w ustach nie miał." Niewiele myśląc, sięgnął Kuba do sakiewki i ostatnią zaczarowaną monetę wyciągnąwszy, w rękę żebraka ją wetknął.

When he awoke, the play had long finished. He peered into his purse in order to count his ducats, but all that remained was one solitary gold coin. "I'll buy a jug of the finest wine and some cake and without a penny to my name I shall return to the Golden Duck and claim my reward" – Jacob reasoned. And with that set off at a brisk pace. Shortly afterwards, he spotted a beggar, a poorly dressed war-worn soldier, dying of hunger. The beggar reached out to him and in an exhausted voice pleaded: "Kind sir, help my poor soul and give me a crust of bread for it is a week since a morsel of food last passed my lips." Without a second thought, Jacob reached into his purse, pulled out the only remaining enchanted coin and tucked it into the beggar's hand.

Als er aus seinem Schlaf aufgewacht war, war die Vorstellung längst zu Ende. Er öffnete seinen Geldbeutel, um seine Dukaten zu zählen. Da stellte sich heraus, dass ihm noch ein einziger übriggeblieben war. „Ich lasse mir nun einen Krug guten Wein mit Weizenkolatsche bringen und kann dann ohne einen Groschen zur Goldenen Ente zurückgehen, um meinen Preis abzuholen" – dachte er froh und machte sich raschen Schrittes auf den Weg. Da sah er vor sich einen Bettler. Es war ein elend gekleideter, abgemagerter Kriegsveteran, der ihm in einer flehenden Geste die Hände entgegenstreckte und mit einer müden Stimme bat: „O gnädiger Herr, unterstützt einen Armen, und sei es auch mit einem Stück Brot, denn ich habe seit einer Woche nichts gegessen." Ohne viel nachzudenken, griff Jakob in seinen Geldbeutel und drückte dem Bettler das letzte Zaubergeldstück in die Hand.

Wtem huknęło, błysnęło i ukazała się postać Złotej Kaczki. Z oddali rozległ się głos: „Umowy nie dotrzymałeś, dukat żebrakowi dałeś. Teraz, choć jesteś w potrzebie, skarb odchodzi od ciebie. Wszystko, co złoto czarowne kupiło, zniknie, jakby go nigdy nie było." Kuba oczom uwierzyć nie mógł. Na miejscu karocy ujrzał kupkę popiołu. Nic nie zostało z pięknego odzienia, zniknął też złoty sygnet. Zapłakał Kuba nad utraconym majątkiem. Weteran spojrzał na żebraka. Weteran wojenny uśmiechnął się i rzekł: „Serce twe dobre zwyciężyło chciwość. Prawdziwym skarbem nie zaczarowane złoto jest, ale ręce chętne do pracy i dusza bliźnim pomocna. Tym właśnie majątek zdobędziesz i życzliwość ludzi sobie zaskarbisz."

Then suddenly, with a crash and a flash the Golden Duck appeared, its voice reverberating all around: "You did not keep your word, nor our deal, when you gave the poor beggar a meal. And today, though you are in great need, a poor life once again you shall lead. Now the goods that my gold for you bought in the blink of an eye will now come to nought." Jacob could not believe his eyes. Where the carriage had stood, he saw a pile of ashes. His beautiful clothes were no more and his signet ring had simply vanished. Jacob wept for his lost fortune. He then looked at the beggar. The old warrior smiled and said: "Your good-heartedness has triumphed over greed and true treasure is not enchanted gold but a generous spirit and a pair of hands eager to work. That is the way to gain a fortune and the goodwill of others."

Da knallte und blitzte es. Es ließ sich die Goldene Ente sehen und in der Ferne ertönte eine Stimme: „Was du mir versprochen, hast du doch gebrochen! Nun bist du wieder ins Elend geraten, vergiss für immer die roten Dukaten Und was du erworben fürs Zaubergeld, ist weg, als wär's nicht von dieser Welt." Jakob traute kaum seinen Augen. Wo noch vor einem Augenblick seine Kutsche stand, lag nur ein Häufchen Asche. Auch von den schönen Gewändern und dem goldenen Ring war keine Spur geblieben. Da weinte Jakob bitterlich über die unwiederbringlich verlorenen Schätze. Plötzlich sah er den Bettler an. Der Veteran lächelte und sagte: „Dein Herz hat über deine Habsucht gesiegt. Der wahre Schatz ist nicht ein Zaubergold, sondern arbeitsame Hände und ein hilfsbereites Herz. Damit kommst du auch zum Wohlstand und gewinnst das Wohlwollen der Menschen."

Kuba, biorąc sobie do serca radę żebraka, stratę zaczarowanego skarbu wnet przebolał, pracę u szewca sobie znalazł, a że zdolny był, wnet tak świetnie fachu się wyuczył, że szył najlepsze w Warszawie buty. Sławę swymi wyrobami zdobył tak wielką, że nawet królewska córka pantofelki u niego zamawiała. Na pamiątkę spotkania młodzieńca ze Złotą Kaczką mieszkańcy Warszawy zbudowali na dziedzińcu zamku, w podziemiach którego ponoć zaczarowane jezioro się mieściło, fontannę z podobizną Złotej Kaczki. Udajcie się na ulicę Tamka, gdzie dumnie stoi Pałac Ostrogskich, a spoglądając na legendarnego ptaka, przypomnijcie sobie morał tej opowieści: „Nie sprytem, lecz pracą ludzie się bogacą."

Jacob took heed of the beggar's advice and, having recovered from the loss of the magic treasure, found himself a job with a shoemaker. Jacob was greatly talented and learned his trade so well that in no time he was making the finest shoes in all of Warsaw. He was known far and wide for his wares and even the king's daughter placed an order for slippers with him. To commemorate the young man's encounter with the Golden Duck, the inhabitants of Warsaw built a fountain in the image of the Golden Duck and positioned it in the castle courtyard, beneath which the enchanted lake was to be found. Make your way to Tamka Street, to where Ostrogski Palace proudly stands, look at this likeness of the legendary bird and remind yourself of the moral of this tale: "It is hard work and not cunning that enriches us all."

Jakob nahm sich den Rat des Bettlers zu Herzen, verwand den Verlust des Schatzes, fand Arbeit bei einem Schuhmacher und da er begabt und fleißig war, erlernte er bald seinen Beruf so gut, dass er die besten Schuhe in Warschau nähte. Dies brachte ihm einen solchen Ruhm ein, dass selbst die Königstochter ihre Pantöffelchen bei ihm bestellte. Zur Erinnerung an jene Begebenheit haben die Warschauer auf dem Hof des Schlosses, in dessen Kellerräumen sich angeblich der Zaubersee befand, eine Fontäne mit dem Abbild der Goldenen Ente gebaut. Geht zur Tamka-Strasse, an der sich stolz der Ostrogski-Palast erhebt, seht euch den dort abgebildeten sagenhaften Vogel an und besinnt euch an die Moral dieser Geschichte: „Nicht Schläue sondern Fleiß bringt Menschen Glück und Preis."

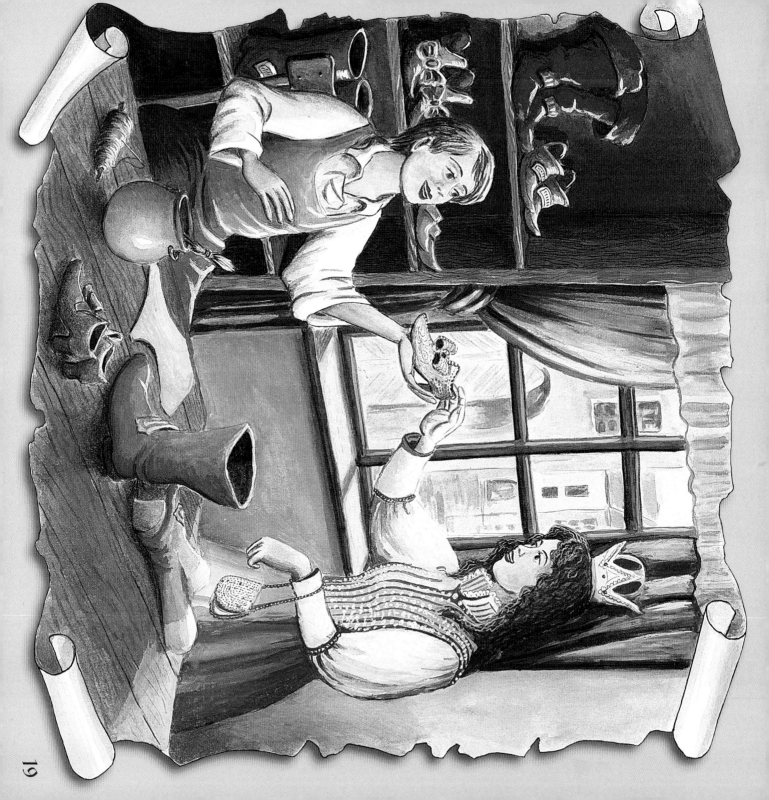

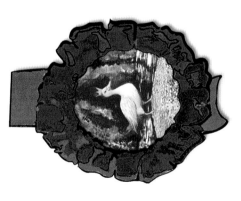

© Wydawnictwo Astra 2005

31-026 Kraków, ul. Radziwiłłowska 35/5

tel. (012) 292 07 30, tel./fax (012) 292 07 31

0602 747 012, 0602 256 638

www.astra.krakow.pl

ISBN 83-916016-8-4